JIM DAVIS

Garfield

LA DIÈTE, JAMAIS !

Une sélection des meilleurs gags de GARFIELD

Traduction Jeannine DAUBANNAY

JIM DAVIS

PARIS·BARCELONE·BRUXELLES·LAUSANNE·LONDRES·NEW YORK·STUTTGART

DARGAUD
EDITEUR

COPYRIGHT © 1987 United Feature Syndicate, Inc.
All rights reserved. Based on the English language book
« Garfield » Treasury Vol.1. (©1982 United Feature Syndicate, Inc)

Dépôt légal : janvier 1996
ISBN 2-205-03420-0
ISSN 0758-5136

Printed in France

Imprimé en France en décembre 1995 par Ouest Impressions Oberthur - 35000 Rennes - N°16569

JiM DAViS

JIM DAVIS

POISSONNERIE

OH, BERK !

POURQUOI TRIMBALES-TU CE POISSON ?

SMACK !

BONK !

QUAND UN CHAT VOUS OFFRE UNE BÊTE MORTE, MALODORANTE, C'EST UNE PREUVE D'AMOUR, ESPÈCE DE SALOPARD !

JE VAIS TE DONNER UNE LEÇON DE CONDUITE, GARFIELD...

QUAND TU SAURAS CONDUIRE AUSSI BIEN QUE MOI, TU CONDUIRAS SUR LA DÉFENSIVE...

7-19

À UNE INTERSECTION, TU REGARDES DANS LES DEUX SENS...

JIM DAVIS

ALORS, TU PROCÈDES AVEC PRUDENCE...

HONK! SCREEEE!

GARE À TOI, GARFIELD!

CE QUE JE PEUX ÊTRE BLAGUEUR!

6

TU AS L'INTENTION DE DONNER UNE SÉRÉNADE SUR LA PALISSADE CE SOIR ?

LA MUSIQUE EST MA VIE ...

© 1981 United Feature Syndicate, Inc.

7 JIM DAVIS

7-26

PAT
PAT
PAT

JIM DAVIS

POOMP!

JE DEVAIS FAIRE SEMBLANT DE LA MANGER POUR SAUVER LA FACE...

10 8-16

© 1981 United Feature Syndicate, Inc

SLUP

8·30 12

♪ BONJOUR ♫

JiM DAVIS

13

JIM DAVIS 9-13

ZUT !

J'AURAIS VOULU LE REFAIRE...

AINSI, JE SUIS LÀ, CONDAMNÉ À MORT ! SI JE M'ENDORS, JE MEURS DE FAIM ! SI JE SAUTE, J'EN SUIS RÉDUIT À L'ÉTAT DE CRÊPE DE CHAT. J'ESPÈRE QUE QUELQU'UN VA VENIR À MON SECOURS ...

14

TU AS ENCORE VOULU GRIMPER À L'ARBRE, GARFIELD ?

AU SECOURS ! AU SECOURS

DIAL
DIAL
DIAL

ALLÔ, LE GARAGE DE JOE ? POUVEZ-VOUS VÉRIFIER MA VOITURE ?

J'AIMERAIS VOUS L'AMENER POUR UN BILAN DE SANTÉ.

MAIS JE VIENS D'Y PASSER

IL FAUDRAIT VÉRIFIER SON SYSTÈME...

RESSERRER SES TUYAUX...

REMPLACER TOUTES LES PARTIES FATIGUÉES...

OH OUI, ET VÉRIFIER SA TRANSMISSION !

JIM DAVIS 17 10-4

GARFIELD ?

ABU DHABI

18

10-11

19

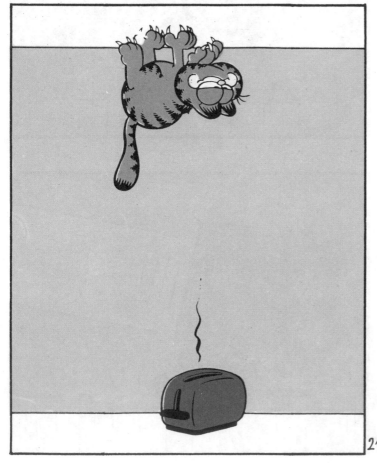

22

HA, HA, OKAY, ODIE !

JIM DAVIS

TIENS, UN STEAK !

ZIP!

11-15

OH, TRÈS BIEN, GARFIELD !

TIENS, DES OEUFS AU BACON !

SPLAT!

23

JIM DAVIS

11-22

© 1981 United Feature Syndicate, Inc.

24

11-29

25

26

POURQUOI ES-TU RETOURNÉ DANS TON LIT, GARFIELD ? IL N'EST MÊME PAS MIDI !

EN CE QUI ME CONCERNE, LA JOURNÉE EST TERMINÉE !

JIM DAVIS

12-6

26

OH, OÙ SONT DONC PASSÉS LES OISEAUX ?

J'ÉTAIS ALLÉ MANGER UN PETIT QUELQUE CHOSE...

JIM DAVIS

12-20

ILS DOIVENT ÊTRE AILLEURS !

JE CROIS QUE JE VAIS REVENIR PLUS TARD...

28

GASP!

LA MÈRE DE JON SAIT CERTAINEMENT COMMENT HUMILIER UN GARS !

CE FIL QUI N'EST PAS ARRÊTÉ VA ME DÉBARRASSER DE CE TRICOT...

JIM DAVIS   12·27

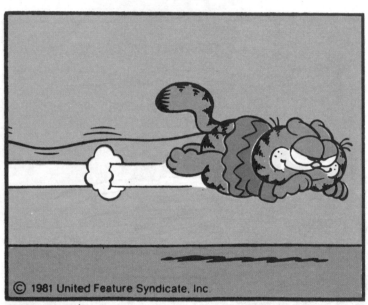

LIBRE ! JE SUIS LIBRE !

CLICK CLICK CLICK

OH, NON !

29

30

1-3-82

TIENS, SALUT, NERMAL !

GARFIELD ! OÙ EST NERMAL ? TU NE L'AS PAS FOURRÉ DANS CETTE BOÎTE À PAIN, HEIN ?

JIM DAVIS

1-10

MERCI, MON DIEU !

POUR QUEL GENRE D'ANIMAL JON ME PREND-T-IL ?

31

LA FERME, ODIE !

OUARF

TU PEUX AVOIR CE HAMBURGER SI TU PEUX L'ATTRAPER GARFIELD !

ALORS !?

JIM DAVIS

12-12

B-B-B-B-B-B-B

JON REGRETTERA AMÈREMENT LE JOUR OÙ J'AI ACHETÉ CES BRAS DE CAOUTCHOUC !

32 © 1982 United Feature Syndicate, Inc.

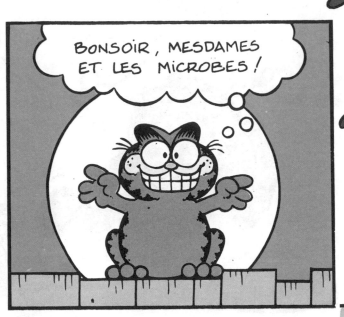

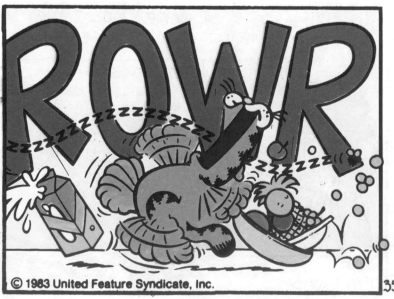

35

SALUT, ODIE, TU AIMERAIS JOUER À LA BALLE ?

SQUEAK

© 1983 United Feature Syndicate, Inc.

TIE TIE

36 JIM DAVIS

HÉ, GARFIELD, OÙ EST ODIE ?

IL EST IMMOBILISÉ POUR L'INSTANT !

DRIBBLE DRIBBLE DRIBBLE

1-9

© 1983 United Feature Syndicate, Inc.

JIM DAVIS 1-30

ROWR! ARRRGH!

ÇA N'ÉTAIT PAS DRÔLE, GARFIELD

C'EST DRÔLE POUR LE SPECTATEUR!

39

40

JE NE PEUX PAS REGARDER FIXEMENT EN BAS !

HÉ, GARFIELD. UN POISSON NE PEUT PAS CLIGNER DES PAUPIÈRES !

C'EST MAINTENANT QU'IL ME LE DIT... ALORS QUE LE GLOBE DE MES YEUX EST TOUT SEC !

JIM DAVIS

2-6

40

41

JIM DAVIS 2-13

3-6

GARFIELD A BESOIN D'UN RÉGIME MIEUX ÉQUILIBRE. AUSSI AI-JE DÉGUISÉ CE FOIE EN DESSERT.

HELLO, GARFIELD. J'AI PRÉPARÉ POUR TOI UN FESTIN...

JE L'AI APPELÉ "BONNE SURPRISE"!

JIM DAVIS

IL VA ÊTRE SURPRIS. PARFAIT!

3-13

ARRGH!

IL LE MANGE! IL LE MANGE!

45

SURPRISE

46

47